똑똑해지는 퍼즐

2. 애완동물

Aramy

Hidden Pictures™

동물 병원에 숨어 있는 12가지 물건을 찾을 수 있나요?
Can you find these 12 items hidden in the veterinarian's office?

정답 36쪽

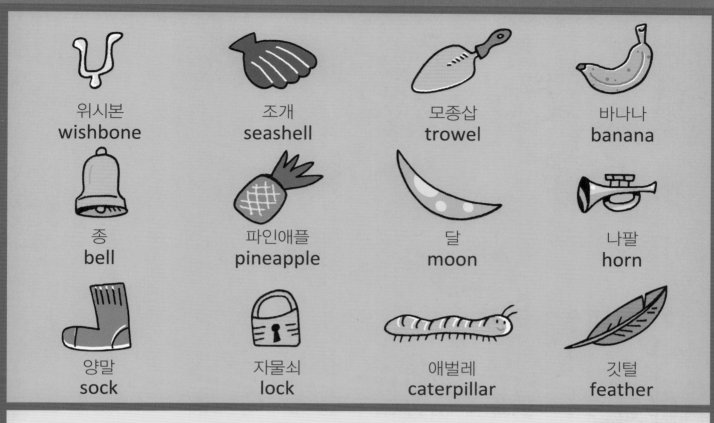

위시본
wishbone

조개
seashell

모종삽
trowel

바나나
banana

종
bell

파인애플
pineapple

달
moon

나팔
horn

양말
sock

자물쇠
lock

애벌레
caterpillar

깃털
feather

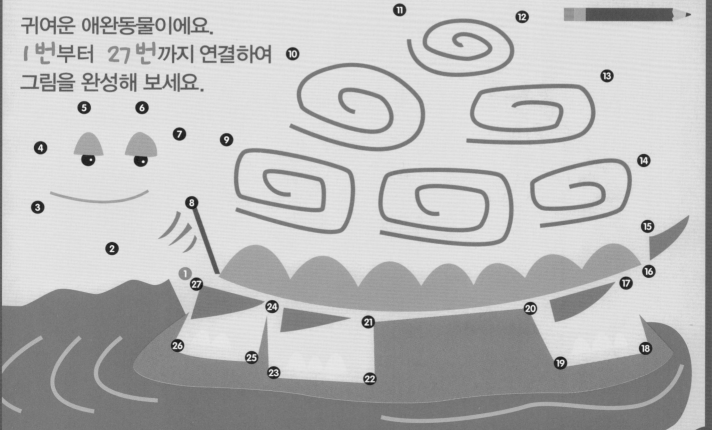

귀여운 애완동물이에요.
1 번부터 27 번까지 연결하여
그림을 완성해 보세요.

강아지들을 위한 날이에요.

알파벳 판에서 애완동물 이름을 찾아요.

알파벳 판에 숨어 있는 16가지 애완동물의 이름이에요. 어떤 단어는 가로로, 어떤 단어는 세로로 놓여 있어요.

The names of 16 pet animals are hidden in the letters.
Some names are across. Others are up and down.

단어

CAT 고양이
DOG 개
FROG 개구리
HORSE 말
MOUSE 쥐
SNAKE 뱀
CANARY 카나리아
FERRET 족제비
IGUANA 이구아나
LIZARD 도마뱀
RABBIT 토끼
TURTLE 거북
HAMSTER 햄스터
GOLDFISH 금붕어
PARAKEET 잉꼬
GUINEA PIG 기니피그

C A T F E R R E T
I H A M S T E R U
G O L D F I S H R
U R L I Z A R D T
A S N A K E X O L
N E M O U S E G E
A X C A N A R Y F
R A B B I T X X R
P A R A K E E T O
G U I N E A P I G

Highlights™

가장 좋아하는 애완동물을 여기에 그려 보세요.

What is your favorite pet? Draw a picture of it here.

내 강아지가 제일 멋져요!

숨은그림을 찾아
스티커를 붙이세요.

Highlights™

스테이시는 새 애완동물에게 '비스킷'이라는 이름을 지어 줄 거예요.
Stacey is going to name her new pet Biscuit.

고양이 암호예요. 암호 풀이를 해 보세요.

각 고양이에 해당하는 알파벳을 이용해 문장을 완성해 보세요.
Use the cat code to fill in the letters and finish the jokes.

Highlights™

고양이의 할아버지를 무엇이라고 부를까요? What does a cat its grandfather?

____ ____ ____ ____ ____ – ____ ____ ____

어떤 고양이들이 볼링 치러 가는 것을 좋아할까요?
What kind of kitties like to go bowling?

____ ____ ____ ____ ____ – ____ ____ ____

고양이가 가장 좋아하는 색깔은 무엇일까요? What's a cat;s favorite color?

____ ____ ____ ____ ____ ____ ____ ____ ____

고양이들은 아침에 서로 어떻게 말할까요?
What do cats say to each other in the morning?

" ____ ____ ____ ____ ____

____ ____ ____ ____ ____ ____ ____!"

ILLUSTRATION BY MIKE MORAN

정답 37쪽

같은 그림을 찾아요.

Highlights™

똑같이 생긴 토끼 10쌍을 찾아보세요.
Every rabbit in the picture has one that looks just like it. Find all 10 matching pairs.

정답 37쪽

마구간으로 가는 길을 찾아요.

Highlights

세 명의 기수들이 마구간으로 돌아가려고 해요.
Each of these three horseback riders needs to return to the stable.

정답 37쪽

스티커로 그림을 완성하고 나서 이상해 보이는 장면 15곳을 찾아보세요.
Use your stickers to finish the picture. Then see if you can find at least 15 silly things.

17

정답 37쪽

알파벳 판에서 개 이름을 찾아요.

알파벳 판에 숨어 있는 15가지 종류의 개 이름이에요.
어떤 단어는 가로로, 어떤 단어는 세로로 놓여 있어요.
The names of 15 breeds of dogs are hidden in the letters.
Some names are across. Others are up and down.

단어

PUG 퍼그
BOXER 복서
HUSKY 허스키
BEAGLE 비글
POODLE 푸들
SETTER 세터
BULLDOG 불도그
SPANIEL 스패니얼
TERRIER 테리어
SHEEPDOG 목양견(양치기 개)
SHEPHERD 셰퍼드
DACHSHUND 닥스훈트
~~DALMATIAN~~ 달마티안
GREAT DANE 그레이트데인
GREYHOUND 그레이하운드

```
Q S S H E E P D O G
W H B U L L D O G R
B E A G L E Z Z R E
S P A N I E L Q E Y
E H U S K Y Q F A H
T E R R I E R W T O
T R B O X E R Q D U
E D A L M A T I A N
R D A C H S H U N D
P U G P O O D L E Z
```

Highlights™

공원에서 산책하는 개를 그려 보세요. Draw a dog to walk in the park.

정답 37쪽

신 나게 노는 아기 고양이들 속에 숨어 있는 12가지 물건을 찾아요.
Can you find these 12 items hidden in this playful-kitten scene?

ILLUSTRATION BY DAVE KLUG

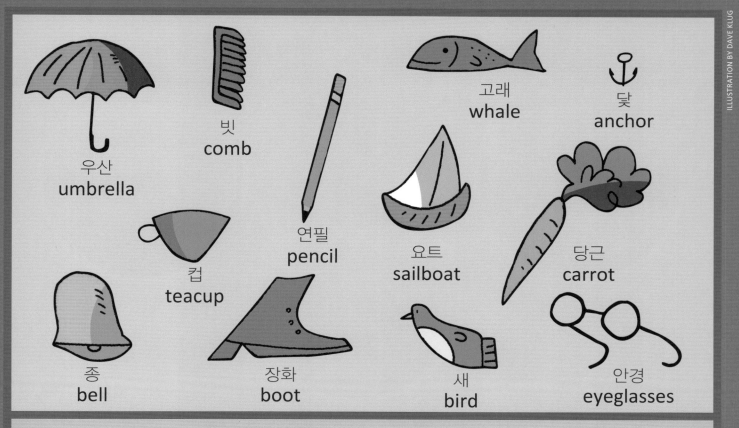

고래
whale

닻
anchor

빗
comb

우산
umbrella

연필
pencil

요트
sailboat

당근
carrot

컵
teacup

종
bell

장화
boot

새
bird

안경
eyeglasses

고양잇과의 동물이에요.
1번부터 41번까지 연결하여
그림을 완성해 보세요.

정답 38쪽

같은 그림을 찾아요.

똑같이 생긴 어항 두 개를 찾아보세요.
Can you find the two fishbowls that are the same?

Highlights™

똑같이 생긴 불도그 두 마리를 찾아보세요.
Can you find the two bulldogs that are the same?

정답 38쪽

똑같은 그림으로 만들어요.

스티커를 붙여
똑같이 만들어 보세요.

Highlights™

ILLUSTRATION BY LESLIE HARRINGTON

정답 38쪽

그림을 배워 볼까요?

털이 있는 동물이에요. 점이 있는 부분을 색칠해 보세요.

Color each space that has a dot to make a furry critter.

크레용을 사용해 피냐타를 똑같이 만들어 보세요.

Use crayons to make a piñata that matches.

Highlights™

순서대로 고양이를 따라 그려 보세요.
Follow the steps to draw a cat.

ILLUSTRATION BY RON ZALME

1.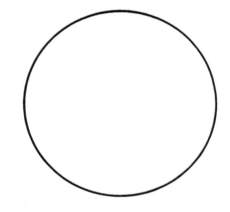

2.

3.

4.

5.

예쁜 리본을 찾아요.

강아지 쇼에 리본이 많이 있어요. 리본 20개를 찾아보세요.
This dog show has plenty of bows! Can you find 20 in the picture?

정답 38쪽

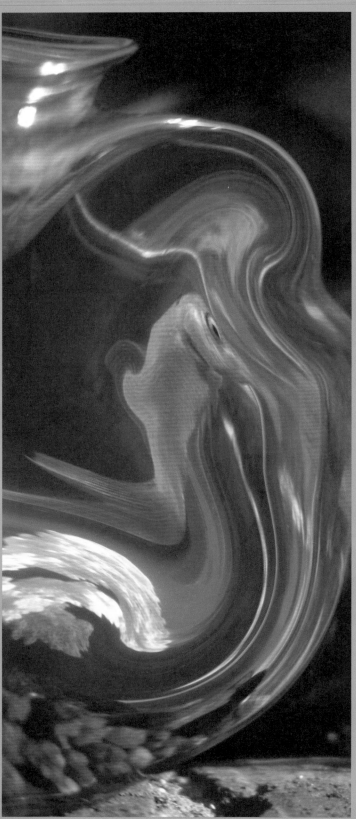

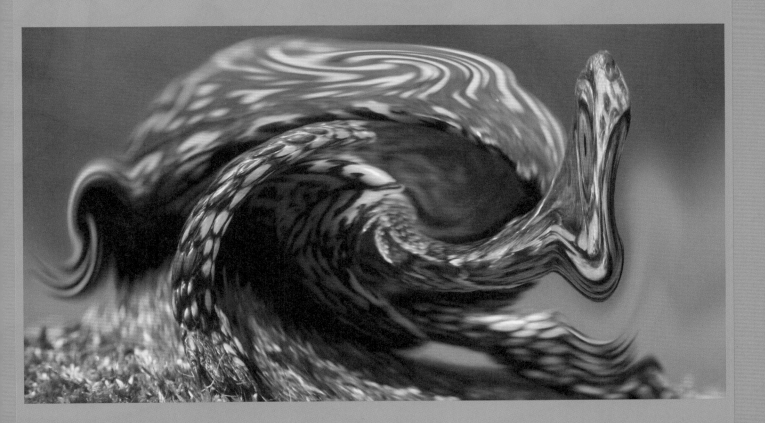

고양이에게 길을 가르쳐 주세요.

정답 39쪽

Hidden Pictures™

Highlights™

개들을 목욕시키고 있는 그림에서 12가지 숨은 물건을 찾아보세요.
Can you find these 12 items hidden in this dog-washing scene?

컵
teacup

벙어리장갑
mitten

양말
sock

손전등
flashlight

당근
carrot

토끼
rabbit

바나나
banana

물고기
fish

후추 통
pepper
shaker

전구
light bulb

장화
boot

물주전자
pitcher

강아지가 좋아하는 거예요.
1번부터 30번까지 연결하여
그림을 완성해 보세요.

정답 39쪽

정 답

2쪽

3쪽

4쪽

6쪽

C	A	T		F	E	R	R	E	T		T
I		H	A	M	S	T	E	R		U	U
G	O	L	D	F	I	S	H				R
U	R		L	I	Z	A	R	D			T
A	S	N	A	K	E		X	O			L
N	E		M	O	U	S	E		G		E
A	X		C	A	N	A	R	Y			F
R	A	B	B	I	T		X	X			R
P	A	R	A	K	E	E	T				O
G	U	I	N	E	A	P	I	G			G

8쪽

11쪽

Q. 고양이의 할아버지를 무엇이라고 부를까요?
A. Grand-paw

Q. 어떤 고양이들이 볼링 치러 가는 것을 좋아할까요?
A. Alley cats

Q. 고양이가 가장 좋아하는 색깔은 무엇일까요?
A. purr-ple

Q. 고양이들은 아침에 서로 어떻게 말할까요?
A. "Have a mice day!"

12쪽

14쪽

16쪽

다른 이상한 장면을 더 찾아보세요.

18쪽

Q	S	S	H	E	E	P	D	O	G
W	H	B	U	L	L	D	O	G	R
B	E	A	G	L	E	Z	Z	R	E
S	P	A	N	I	E	L	Q	E	Y
E	H	U	S	K	Y	Q	F	A	H
T	E	R	R	I	E	R	W	T	O
T	R	B	O	X	E	R	Q	D	U
E	R	D	A	L	M	A	T	I	A	N
R	D	A	C	H	S	H	U	N	D
P	U	G	P	O	O	D	L	E	Z

정 답

20쪽

21쪽

22쪽

23쪽

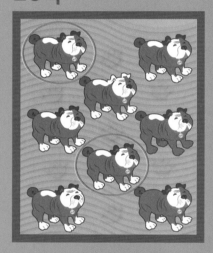

24쪽

26쪽

귀여운 토끼예요

28쪽

Highlights

30쪽

고양이 햄스터 잉꼬
개 금붕어 거북이

32쪽

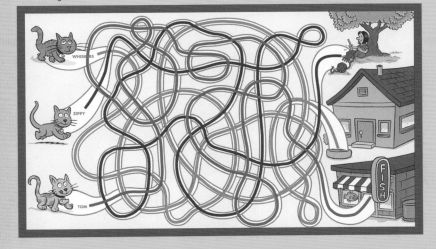

34쪽

35쪽

어떤 장면일까요?

어떤 장면 같나요? 말풍선을 완성해 보세요
What do you think is happening in this cartoon?
Add some words to finish it.

Highlights™